まちごとチャイナ
浙江省 007

寧波旧城
浙東の千年「波止場」
［モノクロノートブック版］

JN118519

余姚江と奉化江の合流地点、甬江を通じて25km先の東海へ続く地の利をもつ寧波。北宋の999年に貿易事務を行なう市舶司がおかれた港町で、1381年、明の朱元璋によって「波寧らか」という意味で寧波と命名された。

　この寧波は海流や立地の関係から、1000年に渡って日本の使節を受け入れる中国側の窓口となり、博多と寧波を結ぶ船が往来した。日本の平安末期、鎌倉、室町時代にかけて、最澄や空海、栄西、道元、雪舟といった人びとがこの街を

訪れ、中国の文化、宗教、芸術は寧波から日本に伝わっている。

　港を通じて異世界の人やものに触れてきた寧波には、現存する「中国最古の図書館」天一閣、船乗りたちに信仰された媽祖をまつる慶安会館、西欧列強の進出した寧波外灘公園など豊富な遺構が残る。一方、20世紀末から再開発が進み、天一広場、鼓楼歩行街、城隍廟商城は多くの寧波人でにぎわい、老寧波と寧波のいまが交錯する。

まちごとチャイナ｜浙江省 007

寧波旧城

浙東の千年「波止場」

Asia City Guide Production
Zhejiang 007
Ningbojiucheng

宁波旧城／níng bō jiù chéng Jiù chéng／ニィンボオジウチャン

「アジア城市（まち）案内」制作委員会
まちごとパブリッシング

Contents

Introduction
三江口そばの文教都市

3つの水路がY字型に交差する河辺
かつては楕円形の城壁がめぐらされ
浙東運河が杭州へと伸びていた

浙江屈指の寧波港

　余姚江と奉化江の合流する三江口に開けた寧波港。北宋の999年、市舶司がおかれて以来、広州、泉州とともに中国を代表する港となった。寧波港は海流や風待ちのための環境、大型船の遡行できる川底の深い甬江といった港湾条件、浙東運河から江南に通じる立地条件に優れ、山東半島や朝鮮、日本との「北洋」、福建、広東や東南アジアの「南洋」の交差点となってきた（また1000年に渡って遣唐使や日宋貿易船、遣明使ら日本の使節や商人を受け入れる窓口だった）。元代、寧波から日本の博多へ向かって出港し、朝鮮半島南西で沈没した新安沈船からは、800万枚、28トンもの銅銭が見つかっていて、貿易の規模が伺い知れる。現在の寧波港は河港、甬江をくだった鎮海港、鎮海に隣接する北侖の海港から構成されている。

寧波旧城の発展

　春秋呉越の都がおかれた蘇州や紹興といった街に対して、江南の一地方都市という性格だった寧波。古く浙東地方は河川によって運ばれた土砂の堆積する湿地帯（平野）に過ぎなかったが、738年、東西に長い越州（紹興）の東半分がわかれ、明州として独立した。当初、より上流の鄞江に行政府が

あり、821年、甬江から外港につながる三江口に街が遷された。その後、外城と霊橋門外の港がつくられ、寧波旧城では港に近い東側が商業街を形成した。続く南宋時代、多くの漢族が寧波に移住し、首都杭州の外港として中国を代表する港へと成長をとげた。寧波港は長らく霊橋門（東門）外におかれていたが、アヘン戦争後の1842年に寧波をはじめとする中国沿岸部5港の開港が決まると、江北に外国人居留地や西欧の銀行や商社、埠頭が整備された（ちょうど上海の上海旧城と外灘の関係にあたった）。現在はこの江北のほか、江東、南郊外の鄞州新城、東海に面した寧波経済技術開発区など、寧波郊外の都市化も進んでいる。

明州と日月湖

　「寧波」という地名は、1381年、明の朱元璋に名づけられ、それ以前、この街は明州や慶元と呼ばれていた（王朝名の「明」の文字を避け、「波寧らか」を意味する寧波となった）。長らく日本でも親しまれた明州という古名は、街の南西郊外に位置する四明山に由来し、また南宋の寧宗が皇太子時代に明州観察使をつとめたことから、皇帝即位後の1196年、慶元府と名づけられた。かつて寧波旧城の南側には、巨大な湖がふたつあり、明州の「明」の字をわけて、東側を「日湖」、西側を「月湖」とした。日湖と月湖のほとりには書院がならび、官吏や文人の暮らす風光明媚の地と知られ、月湖は今でも残るが、日湖は縮小し、20世紀になってから消滅してしまった。

天井とうだつ

　白の漆喰壁と、屋根にふかれた黒瓦、月湖から天一閣界隈にかけては昔ながらの寧波の街並みが残っている。華北の四合院に対し、江南の伝統民居は「天井（中庭）」を連続させる天井住宅と呼ばれる。この天井（中庭）は雨の多い江南の環境

中国最古の図書館天一閣が残る文教都市寧波

天一広場のにぎわい

上海、蘇州、杭州とともに長江デルタ経済圏を構成する寧波

寧波

N

大通橋

庄賽堰

倪家堰

日湖

寧波
大劇院

正大路

地鉄2号線

外灘
大橋

旧城
北部

中山
公園

江北

老外灘

望春橋

地鉄1号線

慶安会館

沢民

西門口

鼓楼

東門口

阿育王寺
天童寺へ

大卿橋

白雲荘

天一閣

天一
広場

江廈
橋東

舟孟
北路

環城
西路

月湖

城隍廟

江東南路

江東

桜花
公園

旧城
西部

旧城
東部

寧波駅

児童
公園

雲霞路

南塘
老街

寧波
東駅

麗園
南路

仇畢

客運
中心

地鉄線

藕池

環城
南路

銭湖
北路

寧波櫟社
国際空港へ

鄞州
新城へ

四明
中路

錦寓路

0km

5km

余姚江

江南

にあわせて設計され、四方から屋根が中庭に伸びている。天井(中庭)を連続させた住宅の奥には、ふだんは外出しない女性が暮らし、財産が保管された。また焼成レンガの塼を積みあげた厚い外壁に漆喰を塗り、ひとつの間と隣りの間には火事が飛び火しないように馬頭壁(うだつ)があげられている。階段状につくられた馬頭壁(うだつ)は、その家の富や格式の高さを象徴し、日本でも出世しないことを「うだつがあがらない」と言う。

***
天一閣／天一阁 ティエンイイガァ
天一広場／天一广场 ティエンイイグゥアンチャァン
鼓楼／鼓楼 グウロウ
寧波外灘公園／宁波老外滩公园 ニィンボオラオワイタンゴォンユゥエン

**☆
月湖／月湖 ユエフウ
城隍廟／城隍庙 チャンフゥアンミャオ
慶安会館／庆安会馆 チィンアンフイグゥアン

*☆☆
中山公園／中山公园 チョンシャンゴォンユゥエン
寧波大劇院／宁波大剧院 ニィンボオダアジュウユゥエン
白雲荘／白云庄 バイユンチュゥアン
甬江／甬江 ヨンジィアン
寧波南塘老街／宁波南塘老街 ニンボオナァンタァンラオジエ

清朝末期の
寧波旧城
（20世紀初頭）

永豊門

余姚江

江北

甬江

外灘

和義門

高級住宅街

三江口

慶安
会館

鼓楼

西大街

東大街

東渡門

望京門

江厦

寧波旧城

商業街

江東

月湖

霊橋門

城隍廟

奉化江

日貴観開発区域

長春門

N

0km   2km

天封塔と、防火対策と財力を示したうだつが見える

旧城西部城市案内

四明山から流れる淡水を集める月湖
細湖、競渡湖、西湖などと呼ばれ
寧波旧城を代表する景勝地となってきた

月湖／月湖★★☆
yuè hú
げつこ／ユエフウ

　寧波旧城の南西部に広がる南北1000m、東西130mの細長いかたちをした月湖。古くは湿地帯だったところで、唐代の636年から開削がはじまり、その後、月湖をとり囲むように旧城城壁がめぐらされた。北宋の1093年、寧波が干ばつに襲われ、月湖の水がなくなったのを受けて、浚渫した泥土で島々がつくられた。時代はくだった明代の1560年、官吏の劉程が月湖を整備し、竹嶼洲、月島洲、菊花洲、花嶼洲、竹洲、柳汀洲、芳草洲、煙嶼洲、雪汀洲、芙蓉洲からなる十洲を定めた。月湖を代表する三堤七橋(3つの堤防と7つの橋)を中心に、楼閣や亭が築かれ、人びとは船を浮かべて四季折々の自然を楽しんだ。南宋の宰相をつとめた史氏の時代から龍船による競争が行なわれたことでも知られ、行事ごとに開催される演劇を上演する水上戯台が立つなど、月湖は寧波文化の中心地となっていた(龍船競争は、明末清初以降、東銭湖で行なわれるようになった)。

旧城西部
（月湖）

西門口　中山西路　天寧寺
西塔　　　　　　　　鼓楼
　　　　　地鉄1号線　　歩行街
　　　　　　　　　　　　鼓楼

鼓楼

天一閣

天一閣

銀台第　　高麗
使館

月街

超然閣

馬衙街

月湖
清真寺

鎮明路

解放南路

賀秘
監祠　関帝廟

居士林　柳汀街

城隍廟

城隍廟

長春路

桂井巷

月湖

共青路

大沙泥街

地鉄2号線

寧波駅

三支街

鎮明路

霊応廟

日湖
遺址

0km　　　　　　　　　　　　　1km

N

寧波月湖景区／宁波月湖景区★★☆
níng bō yuè hú jǐng qū
にんぽーげつこけいく／ニィンボオユエフウジンチュウ

　　かつての月湖は今よりも広く、10の島が浮かび、官吏や文人は月湖のほとりに書院や邸宅を構えていた。現在も残る「天一閣」は芙蓉洲の南端に位置し、寧波の仏僧が起居した「居士林」、宋代以来の「関帝廟」と唐代の官吏をまつる「賀秘監祠」が柳汀洲のうえに立つ。また月湖の北側には1117年に建てられた朝鮮使節のための迎賓館「高麗使館」、清朝官吏の邸宅「銀台第」、西側には清代の堂々としたたたずまいをもつ「超然閣」が位置する。寧波に到着した日本の遣明使が北京へ出発するための最初の駅「四明駅」は月湖上にあった。

月湖清真寺／月湖清真寺★☆☆
yuè hú qīng zhēn sì
げつこせいしんじ／ユエフウチンチェンスウ

　　寧波のイスラム教徒が礼拝に訪れる月湖清真寺(モスク)。唐代からアラブやペルシャ商人は中国に進出し、杭州に都のあった南宋時代、香料、乳香、香油、薔薇水を扱う南海交易

★★★
天一閣／天一阁 ティエンイイガァ
鼓楼／鼓楼 グウロウ
★★☆
月湖／月湖 ユエフウ
寧波月湖景区／宁波月湖景区 ニィンボオユエフウジンチュウ
城隍廟／城隍庙 チァンフウアンミャオ
中山路／中山路 チョンシャンルウ
鼓楼歩行街／鼓楼歩行街 グウロウブウシンジエ
★☆☆
月湖清真寺／月湖清真寺 ユエフウチンチェンスウ
桂井巷／桂井巷 グイジンシィアン
霊応廟／灵应庙 リンインミャオ
日湖遺址／日湖遗址 リイフウイイチイ
天寧寺西塔／天宁寺西塔 ティエンニィンスウシイタア

月湖ほとりに立つ超然閣、屋根の四隅がそりあがっている

寧波では古さと新しさが同居する

路地で骨董品を売る人びと

の担い手となった。もともとモスクは北宋時代から港のある三江口近くにあり、元代の寧波には一般のイスラム教徒のほか、イスラム学僧、通訳のイスラム教徒がいたという。このアラブやペルシャ人を遠い先祖とするのが白い帽子をかぶった回族で、イスラム教では「豚肉を口にしない」などの生活規定があるため、回族の人たちは集まって暮らしている。1699年以来、モスクは現在の月湖西側に遷され、焼成煉瓦の塼（せん）による外壁と四隅のそりあがった中国風の屋根をもつ。

桂井巷／桂井巷★☆☆
guì jǐng xiàng
けいせいこう／グイジンシィアン

　月湖西側、細い路地の両脇に高い壁が続いていく桂井巷。このあたりは古い寧波の面影を残す住宅がならぶ。寧波民居は、上塗りしない質素な壁、屋根瓦、屋根にあがる馬頭壁（うだつ）などを特徴とする。

霊応廟／灵应庙★☆☆
líng yìng miào
れいおうびょう／リンインミャオ

　古い街区を残す郁家巷界隈にたたずむ霊応廟。寧波でも有数の伝統をもつ道教廟で、唐代の669年に建立された。この廟には後漢末の鄞県官吏をつとめた鮑蓋がまつられ、死後、海賊討伐のおりに霊験を発揮したことから、寧波で「海の守り神」となった（阿育王寺近くの鄞県は、唐代に寧波ができる以前のこのあたりの中心）。

豊かな水をたたえる月湖

Tian Yi Ge
天一閣鑑賞案内

南宋時代から多くの文人や官吏が
暮らすようになった寧波
寧波文化の象徴とも言える蔵書楼天一閣

天一閣／天一阁★★★
tiān yī gé
てんいちかく／ティエンイイガァ

　天一閣は明代の官吏范欽が1561年に建てた個人蔵書楼
で、現存するアジアでもっとも古い図書館と知られる。范
欽は1532年に科挙に合格して地方官吏を歴任し、范欽から
13代に渡って蔵書が天一閣に保存収集されてきた。古くは
1395年の『洪武京城図志』にはじまって1642年の『呉県志』
まで、地方誌、文学、思想、伝記の写本、拓本を中心に最盛期
は7万あまりの蔵書をほこった。個人蔵書楼であったことか
ら、盗難などの被害を受け、現在は公的機関による収集、保
存体制がとられている。正門にあたる「秦氏支祠」、前面に池
を配する「天一閣(宝書楼)」、1933年に移築された寧波孔子廟
の「尊経閣」、「東明草堂」といった建築が展開し、1994年か
らは天一閣博物館として開館している。

天一閣その由来

　天一閣が建てられた当初、寧波月湖に浮かぶ10の島にち
なんで「十洲閣」と名づけられたが、のちに「天一閣」へと変
更された。中国には古くから陰陽思想や天人合一思想など
があり、天一とは「天一生水、地六成之(天一たび水を生ぜば、地六

天一閣

N

三板橋街

天一街

東明草堂 ●

尊経閣

天一閣
（宝書楼）
●

中営巷

明池

偃月街

長春路

天一閣

秦氏
支祠
●

麻雀
博物館
●

馬衙街

超然閣 ●

月湖

月湖
清真寺
●

大書院巷

環城河

柳汀街

0m   300m

たびこれを成す)」という『易経』の注釈からとられている(また范欽が手に入れた『呉道士竜虎山天一池』の拓本に由来するともいう)。建物の前に池を配するなど、天一閣では紙の書物にとって天敵となる「火」と「水」への配慮がなされている。また天一閣の間数(6間)、梁や柱の幅や長さは書物を保存するために最適のつくりだと言われ、清朝乾隆帝は編纂した『四庫全書』をおさめる文淵閣などの楼閣は、すべてこの天一閣をまねてつくられた。

麻雀博物館／麻将博物館★★☆
má jiàng bó wù guǎn
まーじゃんはくぶつかん／マアジィアンボオウウグゥアン

世界中のカードゲームや卓上型ゲームは中国を発祥とし、麻雀は紙の牌を使った唐代の「葉子戯」、牌や札をくみあわせる明代の「馬吊」をルーツとする。4人で雀卓を囲み、136の牌を組みあわせて競う麻雀は、運3割、実力7割と言われ、19世紀末から20世紀初頭に江南から中国全土に広がった。この近代麻雀は1860年代の寧波で生まれ、太平天国の軍、漁民の船遊びから生まれたという説が唱えられたが、現在は寧波蒋祠巷の郷紳陳魚門(陳政鑰)が考案者だとされる(陳魚門は寧波で悠々自適の生活し、太平天国支配下の寧波でも重要な役まわりを果たした)。調度品づくりがさかんな蘇州や杭州では、さまざまな麻雀卓、象牙や陶器の麻雀牌がつくられ、明治時代の1909年、名川彦作が上海経由で日本に麻雀を伝えたという。明代の「馬吊(マーチャオ)」から「麻将(マージャン)」、また

★★★
天一閣／天一阁 ティエンイイガァ
★★☆
麻雀博物館／麻将博物馆 マアジィアンボオウウグゥアン
月湖／月湖 ユエフウ
寧波月湖景区／宁波月湖景区 ニィンボオユエフウジンチュウ
★☆☆
月湖清真寺／月湖清真寺 ユエフウチンチェンスウ

牌をかきまぜる音が雀の鳴き声に似ていることから、「麻雀（マージャン）」と呼ぶようになった。

寧波と大宰府を結ぶ碑文

天一閣の後院にあたる尊経閣の壁に残る3枚の石碑。日本に住む宋商人が故郷の寺に寄進したことを示す碑文で、「日本国太宰府」からはじまる1167年の碑文となっている。日宋貿易では博多と寧波を日中それぞれの窓口とし、宋商人は博多にチャイナタウンをつくって貿易に従事していた。中国から銅銭や陶磁器、絹織物が運ばれ、日本からは黄金、真珠、扇子、刀剣などが運ばれた。商人たちは交易で得た富を喜捨することで功徳を積み、また同様に栄西や重源といった日本僧は、寧波天童寺や阿育王寺に日本の木材を喜捨している。

花開いた浙東学術文化

南宋(1127〜1279年)時代、華北を異民族に奪われたことで多くの漢族が南遷し、寧波の人口は急増した。これにともなって寧波や余姚、紹興といった街では、優れた学術文化が育まれ、宋代の朱子学の伝統が浙江東部でつむがれていった。三代に渡って皇帝につぐ権力者の宰相をつとめた史弥遠の史一族はじめ、寧波出身の官僚たちが南宋宮廷で活躍し、「紫衣を着ているのは、みな四明人(寧波人)である」と言われるほどだった。またこうした伝統は、科挙が廃止されたモンゴルの元代、文人たちを教師として迎える浙東の書院や教育施設の義塾へと受け継がれた。明代になっても寧波は多くの科挙合格者を輩出し、王陽明、朱舜水、黄宗羲といった人物の活躍する学問と芸術の地となっていた。明清交替にあたって、「二君に仕えず」といった儒教の考えから、最後まで「反清復明」をかかげたのも浙東の地で、朱舜水は

書物保存のために計算されつくしているという天一閣

江南の造園技術が生かされている

雀卓を囲む人びと、麻雀は寧波で生まれた

梁を重ねあわせた中国建築の様式が見える

ついに日本に亡命することになった。

寧波旧城／浙東の千年「波止場」

旧城東部城市案内

寧波旧城のシンボルタワー天封塔
にぎわいを見せる城隍廟界隈
新たな寧波の顔となった天一広場が位置する

城隍廟／城隍庙 ★★☆
chéng huáng miào
じょうこうびょう／チャンフゥアンミャオ

　楕円形の城壁をめぐらせ、碁盤の目状のプランをもって
いた寧波旧城。城隍廟はそのちょうど中心部に位置し、明代
の1371年、朱元璋の命で建立された（モンゴル族を北に追いやっ
た朱元璋は、漢族の伝統的な礼制改革を行なった）。高さ15m、幅25m
の本殿には都市の守り神がまつられ、あたりには府学、郡廟
などの教育施設もおかれていた。明清時代を通じて焼失と
再建を繰り返し、清代の1884年に重修されて現在にいたる。
城隍神は冥界をつかさどるとも言われ、道教寺院の城隍廟、
近くの仏教寺院の延慶寺とともにこのあたりは寧波の宗教
センターとなっていた。

城隍廟商城／城隍庙商城 ★★☆
chéng huáng miào shāng chéng
じょうこうびょうしょうじょう／チャンフゥアンミャオシャンチャン

　城隍廟では行事ごとに縁日が開かれ、人びとの集まるに
ぎわいの場となってきた。城隍廟の周囲は城隍廟商城とし
て整備され、小吃店や衣料店など多くの店舗が入居する。中
国各地にある城隍廟商城のなかでも、寧波のものは有数の
規模をもつ。

旧城東部
（天一広場）

老外灘

江北
天主教堂

三江口

慶安
会館

和義路

戦船街

鼓楼

中山東路

銭業
会館

戦船街

東門口

道元禅師
入宋記念碑

江厦橋

地鉄2号線

地鉄1号線

宁波
百年堂

開明街

天一広場

咸塘街

来遠亭
遺址碑

宋元天妃
宮遺址

桑行街
天主堂

薬行街

江廈

城隍廟

解放南路

城隍廟

石板巷

霊橋門

霊橋

江東

城隍廟
商城

天封塔

大沙泥街

霊
橋
路

奉
化
江

日湖遺址

延慶寺

江東
南路

0km   1km

N

天封塔／天封塔★★★

tiān fēng tǎ

てんほうとう／ティエンフェンタア

　　寧波旧城の中心にそびえる高さ18m、六角七層の天封塔。かつては十三層で51mの高さを誇り、寧波港からも見える灯台（シンボル）の役割を果たしていた。天封塔という名前は、唐代の695年に創建されたときの年号が「天冊万歳」から「万歳登封」(695〜696年)だったことにちなみ、唐塔とも呼ばれる(当時、都長安には則天武后がいた)。なんども破壊をこうむり、1330年に再建され、その後、1957年にも改修されている。中国では塔を筆に、湖を硯に見立てることがあり、天封塔は日月湖とともに寧波を訪れた多くの日本人が記録を残している。

旧城東部城市案内

城隍廟

天一広場

薬行街天主堂

城隍廟

県学街

解放南路

城隍廟

大来街

城隍廟商城

月湖

城隍廟商城

鏡明路

地鉄2号線

天封塔

大沙泥街

郁家巷

倉橋街

霊応廟

蓮橋街

日湖遺址

解放南路

延慶寺

延橋路音楽文化広場

霊橋路

奉化江

南塘老街へ

0m　　　　500m

日湖遺址／日湖遗址 ★☆☆

rì hú yí zhǐ

にちこいし／リイフウイイチイ

　　長いあいだ月湖とともに寧波を代表する湖として知られていた日湖。明州の「明」の字を「日」と「月」にわけ、東側の小さい湖を「日湖」と言ったが、現在、日湖は消滅し、日湖遺址が立つ。明代、周囲800mほどだった日湖のほとりには仏教寺院や黄宗羲の証人書院、南湖詩社(街の南にあるから南湖)など文京の場が多かったが、清末には堆積物でふさがるようになり、1957年に埋め立てられた。日湖に浮かぶ蓬心島に立っていたのが延慶寺で、近くを走る蓮橋街は日湖にかかっていた採蓮橋に由来する。江北に新たに整備された日湖は、名前は同じだが、この歴史的日湖とは関係はない。

延慶寺／延庆寺 ★☆☆

yán qìng sì

えんけいじ／ヤンチンスウ

　　仏教による鎮護国家の方針をとっていた呉越国時代の953年に創建された延慶寺。当初、報恩院と呼ばれていたが、宋代の1010年に延慶院という名前になり、寧波を代表する天台浄土教の寺院と知られていた。天台宗「中興の祖」知礼(960～1028年)が住持し、日本の源信が教義に関する質問書を

★★★
天封塔／天封塔 ティエンフェンタア
天一広場／天一广场 ティエンイイグゥアンチャァン

★★☆
城隍廟／城隍庙 チャンフゥアンミャオ
城隍廟商城／城隍庙商城 チャンフゥアンミャオシャンチャン
月湖／月湖 ユエフウ

★☆☆
日湖遺址／日湖遗址 リイフウイイチイ
延慶寺／延庆寺 ヤンチンスウ
薬行街／药行街 ヤオシンジエ
薬行街天主堂／药行街天主堂 ヤオシンジエティエンチュウタァン
霊応廟／灵应庙 リンインミャオ

盡閱風華

寧波旧城のシンボル天封塔がそびえる

明代から続く城隍廟の商城

寧波の伝統建築が店舗に利用されている

夜の天一広場、有名ブランドも多く入居する

日月湖のほとりには多くの文人が邸宅を構えた

この寺に送ったという記録も残る(中国天台宗は一時、衰退したが北宋代、再び復興した)。当時の延慶寺は1万人もの僧俗の信者を抱える念仏結社の拠点となり、延慶寺の阿弥陀浄土信仰は日本の浄土教に影響をあたえたという。明の永楽帝(在位1402～1424年)時代にも、天下講宗五山第2位の地位をもっていたが、現在は廃寺となり、延慶寺から分離した観宗講寺が隣に残っている。

日本に伝えられた寧波仏画

宋元(10～14世紀)時代、延慶寺や霊橋門界隈に工房を構えた仏画師たちの手による寧波仏画。極楽浄土の描かれた「阿弥陀浄土図」、冥界の審判者を描いた「十王図」、仏僧の「肖像画」など、寧波で信仰されていた内容を中心とする。これら寧波仏画は赤、青、緑といった鮮やかな配色を特徴とし、なかには浙江で宋代ごろまで残っていたマニ教のものも見られるという。中国から日本へ帰る仏僧や商人が港町寧波で書籍、陶磁器、絵画などを買い求め、中国ではほとんど残っていないが、日本の寺院で保管され、現在に受け継がれている。

天一広場／天一广场★★★
tiān yī guǎng chǎng
てんいちひろば／ティエンイイグゥアンチャァン

中山路と開明街の交わる寧波中心部に広がる天一広場。21世紀を迎えてから、ビジネス、娯楽、ファッション、フードの新たな発信地として整備された。噴水のある巨大な円形広場の周囲に国際購物中心、銀泰百貨、キリスト教堂はじめ店舗がずらりとならび、1日じゅう多くの人が行き交う。人通りは夜遅くまで絶えず、夜はライトアップされる。

寧波を代表する商業施設の天一広場

天一広場

和義大道
購物中心

銀会

地鉄1号線

中山東路

東門口

国際購物
中心

開明街

銀泰
百貨

薬皇殿

天一広場

日新街

酷購
商城

薬行街
天主堂

薬行街

大来街

碶闸街

石板巷

境清
興法寺遺址

緑陰閣
商城

N

0m   300m

海辺で育まれた寧波料理

　東海でとれる新鮮な海魚、蟹といった魚介料理、米料理を中心に、しっかりと塩で味つける寧波料理。彩溜黄魚（きぐちの焼き魚）、苔菜小方焼（海苔のあぶりもの）、火臆金鶏（チキンの丸焼き）、鍋焼河鰻（うなぎの鍋焼き）が寧波料理の代表格として知られる。また粒子が細かくなるまでこねたもち米のなかに餡の入った湯圓（タンユゥエン）は寧波名物となっている（上元節に、寧波人が家族団欒で食べる）。寧波料理は街の古名をとって「甬菜」とも言い、近代以降、多くの寧波人が上海に進出したことから、上海では「甬帮菜」とも呼ばれる。

中山路／中山路★★☆
zhōng shān lù
ちゅうざんろ／チョンシャンルウ

　寧波旧城を東西に結ぶ大動脈で、寧波随一のにぎわいを見せる中山路。寧波旧城の中心にあたる鼓楼から江東に向かって走る中山東路、鼓楼から旧城西門へ走る中山西路からなる。天一広場、鼓楼歩行街といった寧波有数の商業圏を結び、近くには和義大道購物中心などの大型店舗も立つ。

★★★
天一広場／天一广场 ティエンイイグゥアンチャン
★★☆
中山路／中山路 チョンシャンルウ
城隍廟商城／城隍庙商城 チャンフゥアンミャオシャンチャン
★☆☆
薬行街／药行街 ヤオシンジエ
薬行街天主堂／药行街天主堂 ヤオシンジエティエンチュウタァン
石板巷／石板巷 シイバンシィアン
銭業会館／钱业会馆 チィエンイイフイグゥアン

薬行街／药行街 ★☆☆
yào xíng jiē
やくこうがい／ヤオシンジエ

　　かつて寧波港がおかれていた霊橋門外から、旧城中心部の城隍廟へ向かって伸びる薬行街。薬行街という地名は清末このあたりに漢方を扱う商店が店を構えていたことにちなみ、近くの天一広場には薬商人たちに信仰された薬皇殿も残る（「行」とは商いのことで、銀を扱う銀行などで言葉が残っている）。現在は舗装整備され、銀行や劇場、大型商店が立ちならぶ。

薬行街天主堂／药行街天主堂 ★☆☆
yào xíng jiē tiān zhǔ táng
やくこうがいてんしゅどう／ヤオシンジエティエンチュウタァン

　　清朝初期の1701年、フランス人チャールズ（利聖学）、ゴレット（郭中伝）が寧波でキリスト教の布教をはじめた場所に立つ薬行街天主堂。この地に小さなローマ・カトリック教会と家が建てられたが、まもなくして康熙帝の禁教令で、宣教師たちはマカオに退去させられた。アヘン戦争後の開港を受けた1846年、フランス人フランシス（顧方済）がこの場所に教会を再建し、1866年に完成した。現在の教会は2000年に建てられたもので、高さ66mのふたつの鐘楼がそびえる堂々とした威容を見せている。

石板巷／石板巷 ★☆☆
shí bǎn xiàng
せきばんこう／シイバンシィアン

　　1000年の歩みを続けてきた港町寧波の街角石板巷。寧波港に近い立地から、商人、職人が多く暮らし、宋元時代には近くにペルシャ人居留区もあったという。また日本から派遣された遣明使は、霊橋門から寧波旧城に入り、石板巷の嘉賓堂に宿泊した。1523年、嘉賓堂は寧波の乱の舞台となり、

寧波キリスト教揺籃の地に立つ薬行街天主堂

寧波料理の豆ごはん

中世の日本人もここを訪れた、寧波港

中山路あたりには大型店舗がずらりとならぶ

現在は境清興法寺遺址の碑が残る(境清興法寺のあった場所に、日本人の宿泊する嘉賓堂が移設された)。

咸塘街／咸塘街★☆☆
xián táng jiē
かんとうがい／シィアンタァンジエ

　　天一広場の東側、三江口近くを走る咸塘街。かつてはこのあたりに海の守り神をまつる海神廟や市場があり、港町の雰囲気を残す界隈だった(寧波港により近い旧城東部がにぎわっていた)。現在は再開発が進み、高層建築、大型建築が林立している。

寧波百年堂／宁波百年堂★☆☆
níng bō bǎi nián táng
にんぽーひゃくねんどう／ニィンボオバイニィエンタァン

　　寧波百年堂(Centennial Church)はプロテスタントのイギリス聖公会。アヘン戦争後の1848年、天一広場界隈の竹林巷でコルバルド(戈伯)とルセル(禄賜)が布教をはじめ、西欧医学や科学、新聞や出版の文化も寧波に伝播した(アメリカのキリスト教会が寧波で開いた学校はのちに杭州の浙江大学のもととなった)。寧波百年堂は寧波での布教100週年を記念して建設され、1950年に完成した。

錢業会館／钱业会馆★☆☆
qián yè huì guǎn
せんぎょうかいかん／チィエンイイフイグゥアン

　　近代銀行が成立する以前の、中国の旧式銀行を錢荘という(錢荘は無限責任、銀行は有限責任)。南洋の物資と北洋の物資の集まる寧波港では、18世紀末から商品売買に現金を使わず、通帳をもちいる錢荘が活躍していた。太平天国の乱のおさまった1864年以後、麻雀の発明者陳政鑰らの主導する錢荘が江厦にいくつもならび、商いをより便利、安全に行なう

ため、同業会館(公署)がつくられた。銭業会館は、このときの江厦の同業会館をはじまりとし、現在の建物は1926年に建てられた。寧波人による銭業はギルド的性格をもち、上海に進出した外国商社と中国人のあいだに立つ買弁となりながら、中国経済をにぎる浙江財閥へと成長をとげた。

霊橋門／灵桥门 ★☆☆
líng qiáo mén
れいきょうもん／リンチャオメン

　三江口にあった寧波港に面する霊橋門(東門)は、東海からこの街を訪れる者にとっての正門にあたった。霊橋門とそのすぐ北の東渡門界隈には埠頭や造船所がならび、遣唐使や遣明使もここから寧波旧城に入り、霊橋門を出て日本へ帰っていった(遣明使のひとり雪舟はこの霊橋門の様子を『唐山勝景画稿』で描いている)。現在は城門城壁ともに撤去されているが、霊橋門近くの東門口貿易港遺跡からは宋代の海洋船や陶磁器が出土している。

江厦／江厦 ★★☆
jiāng shà
こうか／ジィアンシャア

　寧波旧城外の東側、三江口から奉化江沿いに続く波止場を江厦と呼ぶ。古くから寧波と各地を往来する埠頭がおかれていた場所で、江厦という名前は、かつてこのあたりにあった江厦寺に由来する。近代以前はイギリスやフランス商人、港湾労働に従事する労働者、そろばんをはじく寧波商人たちの姿があり、茶館、倉庫などが集まってにぎわいを見せていた。現在は江厦公園として整備され、宋代、旅人を迎えた来遠亭遺址碑、道元禅師入宋記念碑、宋元天妃宮遺址が位置する。

道元禅師入宋記念碑／道元禅师入宋纪念碑★☆☆

dào yuán chán shī rù sòng jì niàn bēi

どうげんぜんしにゅうそうきねんひ／ダオユゥエンチャンシイルウソォンジイニィエンベイ

　寧波天童寺で修行し、日本で曹洞宗を開いた道元(1200～53年)が入港したという場所に立つ道元禅師入宋記念碑。1223年、寧波に着いた24歳の道元は上陸許可が降りず、船のなかにとどまっていた。そのとき阿育王寺の61歳の老僧がそばのだし汁に使う日本のしいたけを買い求めにきた。道元は食事を勧め「何かお話を願えないか?」と尋ねたが、老僧は「明日の食事に支障をきたすからダメだ」と答えた。「ほかの者にやってもらえればいいのでは?」と道元は返したが、老僧は「(食事係は)自分にあたえられたつとめ」「(道元は)まだ修行というものをわかっていないようだ」と続けた(道元は天童寺でも、杖をつきながら、炎天下でキノコをほす68歳の老僧とも、同様のやりとりをしている)。道元は入宋直後に、坐禅や経典ではない中国仏教僧の姿勢にふれることになった。この道元禅師入宋記念碑は1998年、日本の曹洞宗永平寺によって建てられた。

霊橋／灵桥★☆☆

líng qiáo

れいきょう／リンチャオ

　奉化江にかかり、寧波旧城と江東を結ぶ霊橋。このあたりは宋元時代から寧波港があった場所で、当時は船を連続して浮かべる浮き橋(東津浮橋)の姿だった。1936年、巨大なアーチから橋をつる全長132mの橋がかけられ、橋のうえを車や人が行き交っている。

寧波旧城の中心に立つ鼓楼
ここから奥はさらに城壁で囲まれた子城（内城）
だったところで、寧波の心臓部にあたった

鼓楼／鼓楼★★★
gǔ lóu
ころう／グウロウ

　太鼓を打って街中にときを知らせる役割を果たしていた
高さ28mの鼓楼。唐代の821年、寧波旧城が造営されたとき
の城壁を残し、高さ8mの城壁のうえに三層の楼閣が立つ。
さらにそのうえに1930年になって加えられた時計塔を載せ
る特異な外観をもつ。古くはこの建物が、内城と外城を結ぶ
門となっていて、城壁で囲まれた鼓楼奥の内城（子城）には行
政府や官吏の邸宅があり、外城では庶民が暮らした。唐の杜
審言が詠んだ「雲霞出海曙」にちなんで、明代の1585年、海曙
楼と名づけられた。

鼓楼歩行街／鼓楼歩行街★★☆
gǔ lóu bù xíng jiē
ころうほこうがい／グウロウブウシンジエ

　鼓楼から中山公園にいたる一帯は鼓楼歩行街として整備
されている。唐代の821年に寧波がつくられてから街の中心
だったところで、1998年、寧波の明清時代を思わせる街並
みが再現された。小吃、ファッション、雑貨を扱う店舗がず
らりとならび、天一広場、城隍廟とともに寧波の代表的な商
業地区となっている。敷地内には官吏が勤務した衙署、学校

旧城北部
（鼓楼）

N

寧波
大劇院

永豊橋

大閘南路

余姚江

永豊路

護城河

孝聞街

秀水街

西河街

張蒼水
紀念館

中山
公園

永寿街

中山
公園門楼

同楽亭

緑号2碼地

鼓楼
歩行街

鼓楼

和義街

戦船街

西門口

天寧寺
西塔

天一閣

鼓楼

鼓楼

偃月街

月湖

軌鉄1号線

東門口

天一広場

0km

1km

のおかれた督学行署跡も見られる。

永豊庫遺跡公園／永丰库遗址公园★☆☆
yǒng fēng kù yí zhǐ gōng yuán
えいほうこいせきこうえん／ヨンフェンクウイチイゴォンユゥエン

　鼓楼の東側に残る永豊庫遺跡公園。宋元代を通じて寧波の倉庫だったところで、元代の穀米や陶磁器、井戸が発掘された（宋代にも穀物を貯蔵する常平倉があった）。この永豊庫に集められた物資は交易用となったり、飢饉が起こったときに人びとに開放されるなどした。

055

旧城北部城市案内

天寧寺西塔／天宁寺西塔★☆☆
tiān níng sì xī tá
てんねいじにしとう／ティエンニィンスウシイタア

　天寧寺は唐代の851年に創建され、863年に東西に建てられた塔のうち、西塔のみが現存する。創建当初は国寧寺と呼ばれ、1137年に天寧報恩寺となり、宋元時代、焼失と再建を繰り返した。明代の1372年、この天寧寺に住持する仲猷祖闡と金陵瓦官教寺の無逸克勤が、「倭寇とり締まり」を求める明の朱元璋の使節として日本の博多に来航している。また寧波を訪れた日本の遣明使は1200人もの大船団であったことから、嘉賓館に泊まりきれない使節は天寧寺に分宿した。

★★★
鼓楼／鼓楼 グウロウ
天一閣／天一阁 ティエンイイガァ
天一広場／天一广场 ティエンイイグゥアンチャァン
★★☆
鼓楼歩行街／鼓楼步行街 グウロウブウシンジエ
月湖／月湖 ユエフウ
★☆☆
天寧寺西塔／天宁寺西塔 ティエンニィンスウシイタア
永寿街／永寿街 ヨンショウジエ
中山公園／中山公园 チョンシャンゴォンユゥエン
戦船街／战船街 チャンチゥアンジエ
寧波大劇院／宁波大剧院 ニィンボオダアジュウユゥエン

鼓楼

N

永壽街

中山公園

中山
公園門樓

公園路

尚書街

公園路77弄

鼓樓步行街

鼓樓步行街

督學
行署

府橋街

天寧寺
西塔

永豐庫
遺跡公園

中山西路

鼓樓

地鐵1号線

鼓樓

懷月街

鎮明路

水倉巷

月湖

0m   300m

現在は廃寺となっている。

永寿街／永寿街 ★☆☆
yǒng shòu jiē
えいじゅがい／ヨンショウジエ

　明清時代、寧波の官吏や郷紳が邸宅を構え、儒学や経学など浙東学術文化の中心地となっていた永寿街。永寿街界隈は旧城のなかでも少し海抜が高く、西から流れてきた水を一番に入手できる立地だった。名門氏族の邸宅、明清時代の官公庁、蔵書楼はじめ、白の漆喰壁、黒の屋根瓦といった寧波の伝統的な街並みが残り、現在は保存区となっている。

中山公園／中山公园 ★☆☆
zhōng shān gōng yuán
ちゅうざんこうえん／チョンシャンゴォンユゥエン

　現在、中山公園として整備されている一帯は、唐代の821年に街ができたころから、寧波行政の中心地だった。「中山公園門楼」からなかに入ると、明清交替期、魯王朱以海を擁立して紹興で明を再興しようとした張蒼水(張煌言)に関する「張蒼水紀念館」、「同楽亭」といった建物が見られる。またこの中山公園の地に、1355年、台州から北上して寧波を占領した方国珍元帥府があり、その邸宅は1405年に日本の遣明使などを管理する安遠駅に転用された。蒋介石が実権を

★★★
鼓楼／鼓楼 グウロウ

★★☆
鼓楼歩行街／鼓楼步行街 グウロウブウシンジエ
月湖／月湖 ユエフウ

★☆☆
永豊庫遺跡公園／永丰库遗址公园 ヨンフェンクウイイチイゴォンユゥエン
天寧寺西塔／天宁寺西塔 ティエンニンスウシイタア
永寿街／永寿街 ヨンショウジエ
中山公園／中山公园 チョンシャンゴォンユゥエン

唐代以来の伝統をもつ鼓楼

明清時代を思わせる街並みが再現された鼓楼歩行街

にぎった国民政府時代の1929年に現在の姿となり、この公園の北西側の「秀水街」にも清朝から中華民国時代の邸宅が残っている。

戦船街／战船街★☆☆
zhàn chuán jiē
せんせんがい／チャンチゥアンジエ

三江口から余姚江にそって続く戦船街。戦船街という名前は、宋元時代にこの波止場で軍船をつくっていた名残だとされ、当時の寧波は中国でも最高水準の造船技術をもっていた。1281年の元寇弘安の役では江南軍10万、3500艘の大船団が、寧波から日本の壱岐へと向かっている（文永の役は高麗軍が中心だったが、元が南宋を攻略したあとの弘安の役では江南軍が主力となった）。またこの戦船街に並行して和義路が走り、船着場のあった和義路遺跡からは大量の陶磁器、龍船が出土している。

余姚江と浙東運河

寧波西部の四明湖から余姚を流れ、寧波で奉化江と合流する余姚江。この川のほとりに紀元前5000年ごろの河姆渡遺跡が位置するほか、寧波と紹興、杭州方面を結ぶ浙東運河として利用されてきた（浙東運河は京杭大運河の延長線という性格をもち、入宋仏僧や遣明使はこの流れをさかのぼって上京した）。神話上の王、舜の伝説が残ることから、舜江、舜水とも言い、日本に亡命した余姚出身の明の遺民朱舜水の名前はこの川にちなむ。

寧波大劇院／宁波大剧院★☆☆
níng bō dà jù yuàn
にんぽーだいぎいん／ニィンボオダアジュウユゥエン

寧波から余姚江をさかのぼった場所に立つ貝のかたちを

「四明」の文字が見える、四明とは寧波のこと

鼓楼歩行街の料理店、安くておいしい

寧波旧城北に立つ寧波大劇院

中山公園に残る同楽亭、開放的な建物

した寧波大劇院。1500席の大劇場と800席の多機能ホールをそなえた巨大な劇場は2004年に完成し、クラシックコンサート、越劇や甬劇、国際会議などが開催される。『紅楼夢』『覇王別姫』といった広く中国で知られた劇から、浙江省東部に伝わる『梁山伯と祝英台』、民間伝承の『田螺娘』なども演じられる。

白雲荘／白云庄 ★☆☆
bái yún zhuāng
はくうんそう／バイユンチュゥアン

　寧波を代表する氏族の万氏一族の別荘と墓地で、学術文化の発信地となってきた白雲荘。万氏一族が寧波に移住してきたのは明代の1395年のことで、朱元璋の幕間で活躍した明開国の功臣万斌を父にもつことから、その子万鍾は寧波で要職があたえられた。明末、万鍾子孫の万邦孚が晩年に祖先をまつる祠院と墓を建て、一族の子どもたちはここ白雲荘で学問にはげんだ。万氏一族が文人を保護したこともあって、白雲荘は浙東学術文化の拠点となり、明を代表する学者の王陽明、黄宗羲らが「証人之会」「講経会」といった講義を行なっている（黄宗羲が「甬上証人書院」を開いた）。また明清交替期、万泰は黄宗羲とともに異民族の清朝支配に抵抗し、寧波、余姚はその拠点となった。

Jiang Bei
江北城市案内

1842年、アヘン戦争に敗れた清朝は
香港島を割譲、寧波・上海など5港を開港し
近代産業、西欧文化が中国に流入するようになった

寧波外灘公園／宁波老外滩公园★★★
níng bō lǎo wài tān gōng yuán
にんぽーわいたんこうえん／ニィンボオラオワイタンゴォンユゥエン

　三江口の北西側、江北（余姚江の北）に広がる寧波外灘公園。アヘン戦争後に開港された寧波にあって、西欧列強が領事館や銀行、商社をおいたところで、外灘とは「外国人の岸」を意味する。1844年から領事館を開いたイギリス、続いてフランス、アメリカなどが進出して西欧風の石づくり建築が建てられていった。中国側からすれば寧波旧城から川をへだてることで、西欧人を隔離する狙いがあり、西欧人側からはより海に近い甬江沿いの場所を確保する狙いがあった（同時期、同様の構造を上海がもっていた）。現在は天主教堂外馬路を中心に植民地建築、西欧と中国様式の融合した石庫門建築が整備、保存されている。

江北天主教堂／江北天主教堂★★☆
jiāng běi tiān zhǔ jiào táng
こうほくてんしゅきょうどう／ジィアンベイティエンチュウジャオタァン

　1844年に開港された寧波外国人居留地の一角に立つ江北天主教堂。寧波では明末の17世紀からキリスト教徒が訪れ、アヘン戦争後、本格的なキリスト教布教がはじまった。この江北天主教堂は1846年、槐樹路に建てられたのちの

江北
（老外灘）

寧波
大劇院

正大路

余姚江

外灘
大橋

大閘南路

浙海関旧址
博物館

慶南大路

江北

外灘
大橋

解放橋

人民
路

老外灘

戦船街

和義路

桃渡路

甬江
大橋

鼓楼

新江橋

江北
天主教堂

江北路

江東路

中山東路

銭業
会館

三江口

慶安
会館

東門口

地鉄1号線

江厦
橋東

天一広場

華化江

城隍廟

薬行街

薬行街
天主堂

江厦

江厦
街

江東

城隍廟
商城

0km

霊橋

1km

N

1872年、浙江教区のエドモンド（蘇鳳文）によって現在の姿となり、1887年、時計塔（鐘楼）がつけ加えられた。当初、「聖母七苦堂（イエスの母親であることでマリアが受けた7つの苦しみ）」と呼ばれ、寧波に進出した西欧人たちが礼拝に訪れていた。本堂、慈母堂、鐘楼、主教公署、蔵経楼からなる石づくりの教会は、寧波近代建築の代表作にあげられる。

旧中国通商銀行／旧中国通商银行★☆☆
jiù zhōng guó tōng shāng yin háng
きゅうちゅうごくつうしょうぎんこう／ジィウチョングゥオトォンシャンインハン

江北天主教堂に隣接して立つ旧中国通商銀行。中国通商銀行は寧波商人が上海に進出してつくった新式の銀行（浙江財閥）を前身とし、1921年に通商銀行寧波分行が成立した。隣の天主教堂とともに寧波老外灘を代表する建物で、ドイツ人の設計で1930年に建てられた。

寧波外灘公園／宁波老外滩公园 ニィンボオラオワイタンゴォンユゥエン
天一広場／天一广场 ティエンイイグゥアンチャァン
鼓楼／鼓楼 グウロウ

★★☆
江北天主教堂／江北天主教堂 ジィアンベイティエンチュウジャオタァン
三江口／三江口 サァンジィアンコォウ
慶安会館／庆安会馆 チィンアンフイグゥアン
中山路／中山路 チョンシャンルウ
城隍廟商城／城隍庙商城 チャンフゥアンミャオシャンチャン
江廈／江厦 ジィアンシャァ

★☆☆
甬江／甬江 ヨンジィアン
浙海関旧址博物館／浙海关旧址博物馆 チャアハァイグゥアンジウチィボオウウグゥアン
薬行街／药行街 ヤオシンジエ
薬行街天主堂／药行街天主堂 ヤオシンジエティエンチュウタァン
霊橋／灵桥 リンチャオ
戦船街／战船街 チャンチゥアンジエ

老外灘

浙海関旧址
博物館へ

外灘
大橋

寧波
美術館

甬江

東站路

人民路

羊山巷

外馬路

石庫門

楊善路

中馬路歩行街

寧波外灘公園

桃渡路

旧中国
通商銀行

甬江
大橋

江北
天主教堂

江東

慶安
会館

安瀾
会館

三江口

N

寧波
旧城へ

0m

300m

寧波美術館／宁波美术馆 ★☆☆
níng bō měi shù guǎn
にんぽーびじゅつかん／ニィンボオメイシュウグゥアン

　　2005年に完成し、英語の頭文字をとってNMAの愛称で親しまれる寧波美術館(Ningbo Museum of Art)。展覧会を行なう主展庁はじめ、複数の展覧庁からなり、油絵や水墨画、彫刻のほか現代美術の収蔵や研究、芸術家支援も行なっている。甬江のそばにたたずむ建築は、王澍による設計で「芸術の方舟」をモチーフとする。

甬江／甬江 ★☆☆
yǒng jiāng
ようこう／ヨンジィアン

　　三江口で余姚江と奉化江が合流し、そこから鎮海で東海に注ぐまでの流れを甬江と呼ぶ。寧波へ来航する船はこの甬江を遡上することになり、水深5〜8m、幅400mほどの川幅が25km続く。浚渫の必要のない恵まれた甬江の条件から、寧波は優れた河港となり、大型船も満潮にあわせて寧波霊橋に接岸できた。寧波の発展は甬江の水運によるところが大きく、街の古名「甬」はこの甬江からとられている。

★★★
寧波外灘公園／宁波老外滩公园 ニィンボオラオワイタンゴォンユウエン
★★☆
江北天主教堂／江北天主教堂 ジィアンベイティエンチュウジャオタァン
三江口／三江口 サンジィアンコォウ
慶安会館／庆安会馆 チィンアンフイグゥアン

★☆☆
旧中国通商銀行／旧中国通商银行 ジィウチョングゥオトォンシャンインハン
寧波美術館／宁波美术馆 ニィンボオメイシュウグゥアン
甬江／甬江 ヨンジィアン
安瀾会館／安澜会馆 アァンランフイグゥアン

浙海関旧址博物館 ／ 浙海关旧址博物馆★☆☆

zhè hǎi guān jiù zhǐ bó wù guǎn

せっかいかんきゅうしはくぶつかん／チァアハァイグゥアンジウチイボオウグゥアン

宋元明時代、寧波港には市舶司がおかれていたが、倭寇の跳梁を受けて明代末期に海禁策がとられた。時代は清に遷り、鄭成功の鄭氏帰順後の1686年、康熙帝は海の関所にあたる浙海関を寧波に定めた。寧波に浙海関の海関総口があり、象山口、乍浦口、温州口などを統括する構造だった(西欧人がしばしば貿易の拡大を求め、浙海関を訪れたが、アヘン戦争まで西欧の窓口は広州一港とされた)。現在の浙海関は寧波開港後の1861年に建設され、西欧との貿易事務にあたった。

アヘン戦争と寧波

15〜17世紀の大航海時代を受けて、西欧列強は明清時代の中国に進出するようになっていた。アヘン戦争(1840〜42年)は、イギリスが「中国茶」を輸入することで出た赤字を、植民地インドの「アヘン」を中国に輸出することで相殺しようとしたことにはじまる。強い態度でアヘンをとりしまった清朝(林則徐)に対し、イギリスは砲艦外交を展開、軍司令官ポッティンジャーは広州から北上して1841年、舟山定海、甬江下流の鎮海に続いて寧波を占領した。その後、舟山から長江へ入り、鎮江で大運河を封鎖し、軍艦が南京にせまったところで清朝は敗北を認めた。1842年に結ばれた南京条約によって、香港島は割譲され、広州、廈門、福州、寧波、上海が開港された。19世紀以来、イギリスが拠点をおいた上海、香港を中心に中国の近代化がはじまり、両者はわずか150年ほどで、中国を代表する大都市に発展した。

寧波の開港で西欧人が進出した寧波外灘公園

寧波を代表する近代建築の江北天主教堂

西欧と中国様式があわさった長屋、石庫門建築も残る

美しい現代建築の寧波美術館

甬江の恵みが寧波の発展を支えた

寧波から東海、アジア各地へ道は続く

Jiang Dong
江東城市案内

広大な中国では地域ごとに生産物が異なる
北方の物資と南方の米や茶
これらを運ぶことで寧波人たちは富を得てきた

三江口／三江口★★☆
sān jiāng kǒu
さんこうろ／サァンジィアンコォウ

　東海に注ぐ甬江、西から流れる余姚江、南西から流れる奉化江が集まる三江口。寧波の街は、この3つの河川の合流点に開け、河川と運河、月湖の恵みを受けて発展したことから、「三江六塘河、一湖城中に居す」という。この地は唐代前半まで、湿地帯の広がる人の住まない場所だったが、海上交通が盛んになるにつれ、三江口の重要性が高まった。821年、海と後背地双方に通じるこの地に旧城がおかれ、以後、港町としての地位を確固たるものとした(当初、西側の鄞江にあった行政府がこちらに遷った)。歴史的寧波港は寧波旧城側にあったが、アヘン戦争後の1844年以降、西欧諸国の商社や領事館は江北の埠頭におかれた。

それぞれの天后廟

　「海の守り神」媽祖は宋代の福建莆田に実在した巫女で、福建人の海への進出、海上交易の活発化、元、明、清といった王朝の保護を受けたことで、「天后(天の妃)」にまで地位を高めた。寧波の媽祖(天后)廟は宋代の船乗り沈法詢が、東渡門近くの自宅に媽祖をかざったことをはじまりとし、宋元天

江東(慶安会館)

外灘大橋
甬江
驚駕路
港外羅
甬江大橋
姚隘路
江北天主教堂
三江口
慶安会館
安瀾会館
江東
江厦橋
寧波市街へ
江厦
中山東路
江東北路
江厦橋東
地鉄1号線
舟孟北路
箕漕街
霊橋
百丈路
七塔寺
甬港北路
彩虹南路
新河路
N
0km   1km

妃宮遺址が残っている。各地との船が往来する寧波の波止場には、媽祖をまつる天后廟が複数あり、寧波から北(北洋)をなわばりとする寧波商人の慶安会館、寧波から南(南洋)をなわばりとする寧波商人の安瀾会館、また福建商人の福建会館に媽祖がまつられていた。寧波では媽祖のほかにも、龍神、仏教の「海の守り神」観音、海事に霊験を発揮した官吏鮑蓋(霊応廟)などが信仰されてきた。

慶安会館／庆安会馆★★☆
qīng ān huì guǎn
けいあんかいかん／チンアンフイグゥアン

　1853年に建てられ、寧波商人たちが情報交換、互助活動を行なう場だった慶安会館(甬東天后宮)。もともと寧波の波止場は対岸の江厦にあったが、1844年、西欧による江北埠頭の開設もあって、東門口江厦街の天妃宮からわかれて甬東天后宮(慶安会館)が建てられた。慶安とは「海穏やかで安瀾の慶び」という意味で、媽祖をまつる慶安会館には山東、天津と寧波を往来する北洋商人、船乗り、船大工などが集まっていた。この北洋を往来する船や商人集団は寧波でもっとも大きな力をもったことから、その勢力に比例して慶安会館は寧波最大の天后宮となっていた。現在は慶安会館(北号会館)と南側の安瀾会館(南号会館)をあわせて浙江省最大の天后廟

となっているほか、海事民俗博物館として開館している。周囲を壁に囲まれ、軸線上に建物がならぶ中国伝統様式の建築で、柱や回廊には見事な装飾がほどこされ、会館後方に媽祖がまつられている。

安瀾会館／安澜会馆★☆☆
ān lán huì guǎn
あんらんかいかん／アァンランフイグゥアン

慶安会館に隣接する安瀾会館は、おもに寧波と、福建や広東、東南アジアといった南洋交易を行なう寧波商人たちが拠点としたところ(南号会館)。安瀾という名前は「波瀾を安定させる」からとられている。前戯台から大殿、奥の後戯台とつらなり、行事ごとに演劇が催され、人びとを楽しませた。

郷土とギルド会館

人びとの生活に必要な塩をおさえた華北の山西商人と、華中の新安(安徽)商人が、明清時代を通じて勢力をにぎっていたが、近代、上海を拠点とした西欧の進出とともに寧波商人が存在感を示すようになった。小さな県城のあるばかりだった上海には、純粋な上海人はほとんどおらず、江南各地から移民が進出し、そのなかの3割を寧波人がしめたという。寧波人は18世紀から上海に進出していたが、とくに1850年代の寧波商人は、あらゆる商売の資金を捻出する銭業を中心に急速に力をつけた(現在も上海に残る四明公所は寧波人の互助組織で、教育や仕事の斡旋、葬式の面倒を見たという)。こうした流れは長らく港町寧波で力をつけていた寧波商人が、新たな舞台に活躍の場を移して、上海を発展させたとも見られている。19〜20世紀初頭、寧波商人は西欧の銀行や商社と中国人のあいだにたつ買弁という立場から新興の浙江財閥を形成し、その資金力をもとに蒋介石(寧波南西の奉化出身)は中国全土に号令をかけた。

3つの流れが集まる三江口

慶安会館は寧波の船乗りや商人たちの拠点だった

中国赤で彩られた回廊、縁起をかついだ調度品も見える

福建の巫女から皇帝の妃へ、媽祖は世界各地の華僑に信仰されている

北号と、南号と

　緯度の異なる南北でとれる物産を運ぶ京杭大運河は、長らく中国経済の生命線だったが、やがて海上交通がそれに代わるようになった。清代、寧波港から北に向かって、お茶や綿花、薬材、紹興酒が輸出され、鎮江から穀物が、福建から木材が寧波に輸入されていた。寧波を起点にして、北洋と南洋は海の状態が大きく異なり、北洋を専門とする「北号」と南洋を専門とする「南号」がそれぞれ活躍した。北洋は黄河や長江のはき出す土砂から遠浅で、座礁する可能性が高いため、喫水の浅い平底船が活躍した（暗礁に乗りあげても横転しない）。一方、南洋では東南アジアなど遠くまで安定して航海できるよう喫水が深く、荒波を切りさけるとがった船首をもつ南船が行き交った。北洋と南洋の交わる地の利をもったのが寧波で、この港は浙東運河から京杭大運河を通じて中国内陸部を後背地としていた。

七塔寺／七塔寺★☆☆
qī tǎ sì
しちとうじ／チイタアスウ

　寧波旧城対岸の甬東に立ち、天童寺、阿育王寺、延慶寺（観宗寺）とともに浙東四大叢林のひとつを構成する七塔寺。唐代の858年に建立され、当時の寧波官吏であった任景求が邸宅を仏教寺院とした。明の朱元璋（1328〜98年）は倭寇対策から「舟山信国公湯和が島」の島民を寧波に移住させ、普陀山の僧侶と観音像もこの寺に遷した（そのため小普陀、補陀寺とも呼ばれた）。東津禅院、栖心寺、崇寿寺と寺名を変えてきたが、1682年、七基の宝塔が建立され、七塔寺という名前が定着した。文革で破壊をこうむって以後、1980年代から復興が進み、天王殿と大雄宝殿、舎利塔を安置する舎利殿といった伽藍が展開する。

寧波南塘老街／宁波南塘老街 ★☆☆

níng bō nán táng lǎo jiē

にんぽーなんとうろうがい／ニンボオナァンタァンラオジエ

　寧波旧城の南門外から運河にそって整備された寧波南塘老街。木造の牌楼や江南の街並みなど、古い時代の寧波の面影が残る歩行街となっている。

江東城市案内

季節の行事では、演劇が催された天后廟

江東の露店、江東は阿育王寺や天童寺への足がかりになる

室町遣明使と寧波の乱

明と室町幕府のあいだで行なわれた勘合貿易
朝貢使節を受け入れる明と
文化を摂取し、利益拡大を狙う日本の思惑があった

遣明使の到着と出発

　明を樹立した朱元璋(1328〜98年)は、中国沿海部を荒らす倭寇のとり締まりを求めて1372年、寧波天寧寺の僧仲猷祖闡を日本に派遣している。倭寇対策から明と室町幕府は「勘合(符)」を使った貿易を行ない、日本の遣明使を受け入れる中国側の窓口は寧波におかれた(中国側からは朝貢使節)。東海を横断した日本の使節は、海が長江などの泥で黄色くなると中国に到着したと感じ、そこから甬江をさかのぼって寧波霊橋門あたりで上陸した。遣明使はもちもののチェックを受け、浙江市舶司安遠駅(嘉賓館)に滞在して北京への上京許可を待った。その後、月湖の四明駅から船に乗り、浙東運河をさかのぼって杭州、そこから京杭大運河を伝わって皇帝のいる北京へ向かった。遣明使の正式な使節(外交官)は、中国語の堪能な京都五山の僧がにない、使節が寧波と北京を往復するあいだに日本の商人たちは寧波で貿易を行なった。また遣明使の一員として、北京と寧波に数か月ずつ滞在した雪舟は中国各地を描いた水墨画を残している。

室町時代、寧波の乱まで

　寧波の乱は、室町時代の日本で対立を続けていた細川氏

次々に新しい建物が立つ

平安時代から日本人に親しまれてきた寧波（ニンポー）

と大内氏の争いが、1523年、遣明使をめぐって寧波で爆発した事件。1467〜77年まで続いた応仁の乱は終わったものの、摂津を拠点とする細川氏（応仁の乱の東軍）と九州を拠点とする大内氏（西軍）の対立は続いていた。当時、室町幕府の弱体化を受けて、細川氏と大内氏が遣明使を実質的ににない、日明貿易では莫大な利益を得られたことから、両者の主導権争いが続いていた。

寧波の乱とその後

明との貿易に必要な「勘合」をもつ大内船の派遣計画が決まると、細川氏はすでに無効になっていた「古い勘合」を入手し、さらに明人の宋素卿を陣営にとりこんで寧波へ向かった。1523年、先に寧波に着いた大内船に対して、あとから着いた細川船は賄賂を使った宋素卿のはからいで陸揚げを先にすませ、石板巷嘉賓館の席順も細川氏側をうえにした。これに激怒した大内氏側が、細川船を焼き討ち、寧波旧城も炎上させて明や寧波の人びとを戦慄させた（逃げる宋素卿を紹興まで追っていった）。この寧波の乱は、中国側からは「日本人が争って朝貢を行おうとした」寧波争貢事件と呼ばれる。1523年の寧波の乱を受けて、日本が明に来航する年次、人数制限が課され、1524年から頻繁に海禁令が出されることになった。寧波の乱後に最初の遣明使となった策彦周良らは、乱で生命を落とした人びとを供養する水陸会を寧波旧城の延慶寺と寿昌寺で行なっている。また明は日本の情報収集と研究を進め、『日本考略』が編纂された。

『中国の歴史散歩 3』(山口修・鈴木啓造/山川出版社)

『文化都市寧波』(早坂俊廣編/東京大学出版会)

『くらしがつなぐ寧波と日本』(高津孝編/東京大学出版会)

『寧波と宋風石造文化』(山川均編/汲古書院)

『寧波と博多』(秦惟人/国際文化研究所論叢)

『中国都市史』(斯波義信/東京大学出版会)

『海上の道』(斯波義信/東京大学出版会)

『支那文化史蹟第4輯』(常盤大定・関野貞/法蔵館)

『宋代明州城の復元図作成にむけて』(山崎覚士/海港都市研究)

『道元』(山折哲雄/清水書院)

『寧波における基督教の伝来とその史的展開』(周知・李広志/東洋史訪)

『寧波海神信仰の源流とその史的展開』(李広志/東洋史訪)

『世界大百科事典』(平凡社)

[PDF]寧波地下鉄路線図http://machigotopub.com/pdf/ningbometro.pdf

OpenStreetMap

(C)OpenStreetMap contributors

寧波旧城／浙東の千年「波止場」

まちごとパブリッシングの旅行ガイド

Machigoto INDIA , Machigoto ASIA , Machigoto CHINA

マカオ-まちごとチャイナ

Juo-Mujin（電子書籍のみ）

自力旅游中国Tabisuru CHINA

寧波

N

0km 5km

旧城西部
（月湖）

0km   1km

N

天一閣

N

0m   300m

旧城東部
（天一広場）

0km 　　　　　　　　　　　　　　　　1km

N

城隍廟

N

0m   500m

天一広場

N

0m   300m

旧城北部
（鼓楼）

N

0km　　　　　　　　　　　　1km

鼓楼

0m   300m

江北
（老外灘）

N

0km   1km

老外灘

0m   300m

N

江東（慶安会館）

N

0km   1km

【車輪はつばさ】
南インドのアイラヴァテシュワラ寺院には
建築本体に車輪がついていて
寺院に乗った神さまが
人びとの想いを運ぶと言います

An amazing stone wheel of the Airavatesvara Temple
in the town of Darasuram, near Kumbakonam in the South India

まちごとチャイナ
浙江省 007

寧波旧城
浙東の千年「波止場」
［モノクロノートブック版］

「アジア城市（まち）案内」制作委員会
まちごとパブリッシング
http://machigotopub.com

・本書はオンデマンド印刷で作成されています。
・本書の内容に関するご意見、お問い合わせは、発行元の
　まちごとパブリッシング info@machigotopub.com までお願いします。

まちごとチャイナ
新版 浙江省007寧波旧城
　〜浙東の千年「波止場」

2020年 8月15日　発行

著　者　　「アジア城市（まち）案内」制作委員会
発行者　　赤松　耕次
発行所　　まちごとパブリッシング株式会社
　　　　　〒181-0013　東京都三鷹市下連雀4-4-36
　　　　　URL http://www.machigotopub.com/
発売元　　株式会社デジタルパブリッシングサービス
　　　　　〒162-0812　東京都新宿区西五軒町11-13
　　　　　清水ビル3F
印刷・製本　株式会社デジタルパブリッシングサービス
　　　　　URL http://www.d-pub.co.jp/

MP275

ISBN 978-4-86143-426-6
C0326 ¥1800E

発行 まちごとパブリッシング株式会社
発売 株式会社デジタルパブリッシングサービス

「アジア城市（まち）案内」制作委員会
http://machigotopub.com
https://www.d-pub.co.jp

ia City Guide Production
jian **004** Around Fuzhou

ちごとチャイナ｜**福建省 004**｜

福州郊外と開発区

「閩江」の流れとともに

NewVersion